图书在版编目（CIP）数据

安娜的新大衣／（美）齐费尔特（Ziefert，H.）著；（美）洛贝尔（Lobel，A.）绘；余治莹译.
—石家庄：河北教育出版社，2008.10
ISBN 978-7-5434-7093-4

Ⅰ.安… Ⅱ.①齐…②洛…③余… Ⅲ.图画故事－美国－现代 Ⅳ.I712.85

中国版本图书馆CIP数据核字（2008）第102652号

冀图登字.03-2008-007

A NEW COAT FOR ANNA

安娜的新大衣

编辑顾问：余治莹　　　　　　　　　销售专线：010-51690768

译文顾问：王　林　　　　　　　　　印刷：北京盛通印刷股份有限公司

责任编辑：颜　达　马海霞　　　　　开本：889×1194mm　1/16

策划：北京启发文化传播有限责任公司　　印张：2.5

　　　台湾麦克股份有限公司　　　　印数：1～5,000

出版：河北教育出版社　http://www.hbep.com　　版次：2008年10月第1版

　　　（石家庄市联盟路705号 050061）　　印次：2008年10月第1次印刷

发行：北京启发文化传播有限责任公司　　书号：ISBN 978-7-5434-7093-4

　　　http://www.7jia8.com　　　　　定价：29.80元

安娜的新大衣

文:[美]哈丽雅特·齐费尔特　图:[美]安妮塔·洛贝尔　翻译:余治莹

河北教育出版社

　　冬天来了，安娜需要一件新大衣。那件她穿了许多年的蓝色大衣已经磨薄了，而且也太小了。

　　去年冬天，安娜的妈妈说："等战争结束后，我们就又可以买东西了，到时候，我给你买一件漂亮的新大衣。"

　　可是，战争结束以后，商店里依然空空的，没有大衣，没有食物，也没有人有钱。

　　安娜的妈妈一直在想怎样才能让安娜拥有一件新大衣，终于，她想出办法了。

　　"安娜，我没有钱，"她说，"可是，我还留着爷爷的金表和一些好东西。也许我们可以用它们来换一件新大衣。首先，我们需要一些羊毛。明天，我们就去拜访牧场的主人，看能不能换一些羊毛回来。"

　　第二天，安娜跟着妈妈来到附近的牧场。

　　"安娜需要一件新大衣，"安娜的妈妈告诉牧场主人，"但是我没有钱，如果您给我足够做一件大衣的羊毛，我就给您这只很棒的金表。"

　　牧场主人说："好主意！不过要等到明年春天剪羊毛的时候，我才有羊毛来换你们的金表。"

安娜一直等待着春天的到来。

几乎每个星期天，她都跟妈妈去探望羊群。

她喜欢一次次地问它们："你们的羊毛长长了吗？"

那些羊却总是回答："咩——咩——"

她还喜欢喂它们新鲜的干草，再抱抱它们。

圣诞节那一天，安娜带来纸项链和苹果，还唱圣歌给羊群听。

春天来了，牧场主人开始剪羊毛。

"它们会疼吗？"安娜问。

"不会的，安娜。"牧场主人说，"这就像剪头发一样。"

剪够做一件大衣的羊毛之后，牧场主人教给安娜怎样刷羊毛："这就像你梳开打结的头发一样。"

他给了安娜的妈妈一大袋羊毛，安娜的妈妈给了他那只金表。

安娜和妈妈带着那袋羊毛去拜访老婆婆，她有一部纺车。

"安娜需要一件新大衣，"安娜的妈妈告诉老婆婆，"但是我没有钱，如果您把这些羊毛纺成毛线，我就给您这盏好看的台灯。"

老婆婆说："我正需要一盏台灯。不过我年纪大了，手指不灵活了，纺得不够快。等到樱桃成熟时，你们再来拿毛线吧。"

夏天到了，安娜和妈妈又来了。安娜的妈妈给了老婆婆那盏台灯，老婆婆给了她们毛线，还有一篮可口的红樱桃。

　　"安娜，你喜欢什么颜色的大衣？"安娜的妈妈问。

　　"红色的。"安娜回答。

　　"那我们要去采一些越橘，"安娜的妈妈说，"用它们可以做出红色的染料。"

　　安娜的妈妈知道，夏天结束的时候，林子里有一个地方可以采到成熟的越橘。

安娜和妈妈用一口大锅煮水，再把越橘放进去。

水变成深红色之后，安娜的妈妈把白色毛线浸泡在水里。

很快，红色毛线都晾在厨房的晒衣绳上了。

晾干后，安娜和妈妈把毛线绕成一个个的毛线球。

她们把毛线球带去给织布阿姨。

"安娜需要一件新大衣,"安娜的妈妈说,"但是我没有钱,如果你把这些毛线织成布,我就给你这条宝石项链。"

织布阿姨说:"多么漂亮的项链啊!我很乐意织这些毛线,两个星期后来拿吧!"

安娜和妈妈再来的时候,织布阿姨给了她们一匹美丽的红布,安娜的妈妈给了织布阿姨那条闪闪发亮的宝石项链。

第二天，安娜和妈妈去找裁缝伯伯。

"冬天快来了，安娜需要一件新大衣，"安娜的妈妈告诉裁缝伯伯，"但是我没有钱，如果您把这匹布做成一件大衣，我就给您这把陶瓷茶壶。"

裁缝伯伯说："这真是一把精致的茶壶。安娜，我很高兴为你做件新大衣，不过，我得先帮你量量身。"

他量她的肩膀，他量她的手臂，他量她的后身从脖子到膝盖的长度，然后说："下星期再来，我会给你新大衣。"

　　裁缝伯伯先打好纸样儿，再裁剪布料、缝合、锁边儿，
飞针走线地忙了整整一个星期。做好以后，他从纽扣盒里
找出六颗可爱的纽扣，缝在大衣上搭配起来正合适。

　　他骄傲地把大衣挂在橱窗里，让每个人都能看到。

当安娜和妈妈再次来到裁缝店里的时候，安娜试穿了新大衣。她在镜子前面一直转圈圈，这件大衣实在是太好看了。

　　安娜向裁缝伯伯道谢，安娜的妈妈也向他道谢，并且给了他那把精致的茶壶。

安娜穿着新大衣回家的时候，在每一家商店的前面，她都停下来，看一看自己在玻璃橱窗上映出来的样子。

回到家后，她的妈妈说："圣诞节就快到了，我想今年我们可以在家里举办一个小小的庆祝会。"

安娜说："太棒了，可以邀请所有帮我做这件大衣的人吗?"

"好!"安娜的妈妈说，"我会像从前那样，烤个圣诞蛋糕。"

安娜给了妈妈一个大大的拥抱。

平安夜，牧场主人、纺纱婆婆、织布阿姨和裁缝伯伯先后来到安娜家。他们都觉得穿着新大衣的安娜看上去特别漂亮。

安娜的妈妈做的圣诞蛋糕也特别好吃，大家都认为这是这些年来最棒的平安夜。

圣诞节那天，安娜又来探望羊群。

"小羊，谢谢你们的羊毛。"她说，"你们喜欢我漂亮的新大衣吗？"

羊儿"咩咩"地回答她时，看起来好像在微笑。